这本《神奇校车》属于：

Written by Kristin Earhart. Illustration by Carolyn Bracken.
Based on THE MAGIC SCHOOL BUS books written by Joanna Cole and illustrated by Bruce Degen.

图书在版编目（CIP）数据

经受暴风雨 / (美) 柯尔著 ; (美) 迪根绘 ; 施芳译. — 贵阳 : 贵州人民出版社, 2013.12
(神奇校车 : 桥梁书版)
ISBN 978-7-221-11660-4

Ⅰ. ①经… Ⅱ. ①柯… ②迪… ③施… Ⅲ. ①天气—儿童读物 Ⅳ. ①P44-49

中国版本图书馆CIP数据核字(2014)第006198号

神奇校车·桥梁书版
经受暴风雨
JINGSHOU BAOFENGYU

策划 / 蒲公英童书馆
责任编辑 / 颜小鹂　刘学琴
装帧设计 / 刘　洋
责任印制 / 于翠云
出版发行 / 贵州出版集团　贵州人民出版社
地址 / 贵阳市观山湖区会展东路SOHO办公区A座
电话 / 010-85805785（编辑部）
印刷 / 北京利丰雅高长城印刷有限公司（010-59011367）
版次 / 2014年4月第1版
印次 / 2018年6月第17次印刷
成品尺寸 / 152mm×228mm 1/16
印张 / 2
字数 / 20千字
定价 / 150.00元（全20册）
官方微博 / weibo.com/poogoyo
微信公众号 / pugongyingkids
蒲公英检索号 / 130582013

The Magic School Bus® 神奇校车 桥梁书版

经受暴风雨

[美] 乔安娜·柯尔 著 [美] 布鲁斯·迪根 绘 施芳 译

贵州出版集团 贵州人民出版社

在卷毛老师的班上很有趣，她总是穿着搞笑的衣服和鞋子，带我们坐着神奇校车到处去旅行。
冰雹
卡洛斯
飓风
多萝茜
龙卷风
拉尔夫
降雨表
日期
雨量（毫米）
周一
周二
周三

雨的种类
毛毛雨
小雨
中雨
阵雨
倾盆大雨
今日天气：
热！
暴风雪
我无法相信校车带我们去了那么多不可思议的地方。
我连想都不愿想。

我们正在学习有关天气的知识。
蒂姆做了一个雨量器，它能告诉人们下了多少雨。但是今天雨量器是空的。
降雨表
日期
雨量（毫米）
周一
0
周二
0
周三
0
我真希望今天下雨。
我可不想，下雨就不能打球了。
大热的天，谁还想打球啊？

空气闷热又潮湿，我们懒得动弹，心情也格外烦躁。

卷毛老师扫了我们一眼说：“看来又要出去旅行了！”

我们来到室外，依旧很闷热，但天空却很晴朗。“今天不会下雨。”凯莎对蒂姆说。
看，天上没有云。

考察
但空气中有许多水。
真的吗？我只看到一只鸟。
非常细小的水滴
——多萝茜的笔记
★你知道吗？空气的一部分是由水组成的，但是我们却看不见，因为空气是无形的。存在于空气中的水叫作水蒸气。
★天气闷热的时候，空气中含有大量水蒸气，所以让人感觉很不舒服。

卷毛老师将校车驶向湖边。校车一开到湖里，就变成了一条船。
不要啊！
哦！

我们也开始发生变化。

我们瞬间变得非常小，手里都撑着一把小伞，渐渐飘上天。
感觉还不错！

我都不敢往下看。

我们上升得非常快，身体也变得更小了。
快看，校车已经离我们很远了。
真希望这会儿，我是待在家里。

我们小得能看见空气中的小水滴了，它们到处都是！
怎么这么冷？
高度越高温度就越低。
太棒了，正好可以凉快凉快。
凉爽的云
——卡洛斯的笔记
★地球上的热空气总在上升，升得越高，就变得越冷。于是空气中的水蒸气就凝结成了小水滴。小水滴很小，空气可以托住它们。许多小水滴聚集在一起就形成了云。
一朵云里有上百万个小水滴。
希望我们不要掉下去。

空气太冷了，一些水滴开始结冰，形成了许多冰晶。
冰晶和小水滴一样，在我们四周上下翻转。
我是在九霄云外了吗？
我已经“云”头转向了！

不敢想象我们会云游到哪儿去！

风越来越猛烈，速度越来越快。
水滴和冰晶撞在了一起——还有我们！
这时风里传来一个声音。
坚持住，孩子们！
是弗瑞丝老师！

还有探空气球！

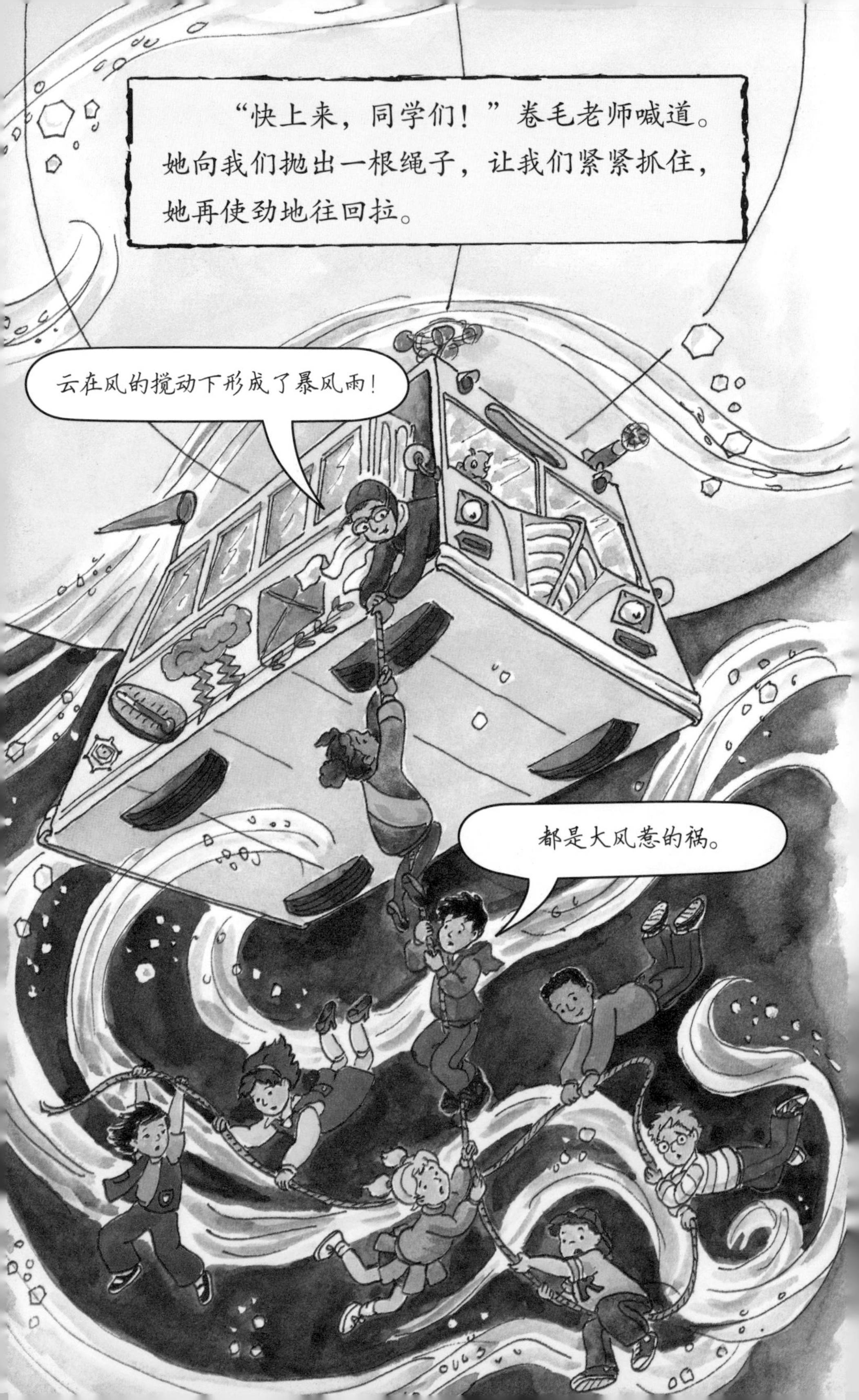
“快上来，同学们！”卷毛老师喊道。她向我们抛出一根绳子，让我们紧紧抓住，她再使劲地往回拉。
云在风的搅动下形成了暴风雨！
都是大风惹的祸。

进入探空气球后，我们就安全了。气球在云中降低了一些高度，这种感觉真有趣。
孩子们，我们将看到一些剧烈的天气变化。
老实说，我更喜欢单调的天气和旅行。
暴风云的形状

就在这时，我们看见一连串闪电劈向了地面。
“闪电能量巨大，”卷毛老师说，“它能发光、发热，还会发出巨响。”
我看见了光。
我觉得很热。
可是声音在哪里？
E N S W
迅速移动!

我们赶紧躲得远远的，因为闪电很危险。
充满能量的闪电
——旺达的笔记
★当水滴撞到冰晶，它们便充满了能量。能量不断增加，直到转化成闪电。闪电是一道巨大的电火花。
★闪电很危险，暴风雨到来时你最好待在室内。

轰隆隆！
一声巨响使空气都震动起来。
打 雷 了！
这就是闪电的声音？
雷声轰隆隆
——拉尔夫的笔记
★闪电很热，它让空气迅速升温，急剧膨胀，并发出一声巨响，这就是雷声。

突然，探空气球的底部塌了，我们都掉了下去。

小雨滴在我们四周聚集，形成了一颗颗大雨滴。我们跟着它们一路往下掉。
我要落在湖岸上了。

我想落在花床里。
我想落在自己的床上。
为什么风暴云是灰色的？
——蒂姆的笔记
★风暴云充满了水分，挡住了一部分太阳光，所以看上去是灰色的。

我们随着雨水落到地上以后，听到一阵响亮的汽车喇叭声——是我们亲爱的神奇校车！

湖里的水好干净啊。
花园看上去绿油油的，很清新。
现在空气又凉爽又新鲜。
蓝蓝的天空！

我们回到了教室，雨量器已经满了，蒂姆很高兴。我们又开始期待下一次的旅行了。
看，这里都灌满水了！
降雨表
日期
雨量（毫米）
周一
0
周二
0
周三
177
我们也是！

弗瑞丝小姐从天而降
冰雹
卡洛斯
雨的种类
毛毛雨
小雨
中雨
阵雨
倾盆大雨
飓风
多萝茜
暴风雪
龙卷风
拉尔夫
菲比
你注意到那件衣服了吗？
不知道她在哪儿买的……
也许在火星上！

天气揭秘

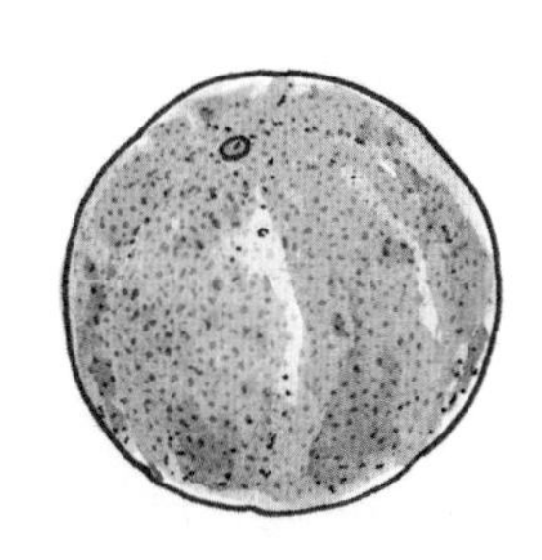

最大的冰雹是2003年6月22日在美国内布拉斯加州的奥罗拉地区被发现的。它有17.8厘米高，比一个哈密瓜还大。

美国佛罗里达州一年会遭遇100多场雷暴。

帝国大厦一年会被雷电击中约100次。避雷针可以将雷电引入大地，避免建筑遭受损害。

大的雷暴电能巨大，可以为整座小镇提供照明。

卡洛斯幽默天气预报

答案：当你踩进了一个水坑。